PENSER,
C'EST MOURIR UN PEU 2

Du même auteur chez le même éditeur

Je me souverain, collectif, 1995

L'Inspecteur Specteur et le doigt mort, roman, 1998

L'Inspecteur Specteur et la planète Nète, roman, 1999

Penser, c'est mourir un peu, aphorismes, 2000

Diane la foudre, roman, première édition, 2000

Nouvelles du Boudoir, collectif, 2001

L'Inspecteur Specteur et le curé Ré, roman, 2001

Diane la foudre, roman, réédition, coll. Bristol, 2002

Nouvelles du Boudoir 2, collectif, 2002

GHISLAIN TASCHEREAU

PENSER, C'EST MOURIR UN PEU

LES INTOUCHABLES

Les Éditions des Intouchables bénéficient du soutien financier de la SODEC, du Programme de crédits d'impôt du gouvernement du Québec, du PADIÉ et sont inscrites au Programme de subvention globale du Conseil des Arts du Canada.

LES ÉDITIONS DES INTOUCHABLES
4674, rue de Bordeaux
Montréal, Québec
H2H 2A1
Téléphone : (514) 529-8708
Télécopieur : (514) 529-7780
intouchables@yahoo.com
www.lesintouchables.com

DISTRIBUTION : DIFFUSION PROLOGUE
1650, boulevard Lionel-Bertrand
Boisbriand, Québec
J7H 1N7
Téléphone : (450) 434-0306 / 1-800-363-3864
Télécopieur : (450) 434-2627 / 1-800-361-8088
www.prologue.ca

Impression : AGMV-Marquis
Infographie et
maquette de couverture : Marie-Lyne Dionne
Photographie de la couverture : Marc Dussault

Dépôt légal : 2002
Bibliothèque nationale du Québec
Bibliothèque nationale du Canada

ISBN 2-89549-066-X

1

Pour un vol d'auto, le juge
peut donner jusqu'à trois ans
ou soixante mille kilomètres.

2

Derrière chaque grand homme,
se cache une grande
paire de fesses.

3

Moi, payer 150 000 $
pour une voiture ?
Un fou dan'une Porsche !

4

Ne buvez jamais directement
l'eau du fleuve Saint-Laurent,
sauf si vous êtes en train
de vous noyer.

5

J'ai fabriqué
de la fausse monnaie
afin d'acheter des faux cils.

6

J'ai greffé
mon pénis à ma blonde
et son corps a fait un rejet.

7

Ma tendre moitié
en vaut deux,
donc une seule.

8

Après avoir atteint l'ovule,
il est rare de voir
le spermatozoïde
s'allumer une cigarette.

9

Quand une super-belle fille se fait faire des mèches dans les cheveux, elle devient un pétard à mèches.

10

Au cent mètres, les femmes enceintes ont une longueur d'avance sur les hommes. C'est injuste.

11

Logiquement,
si je bouffe de la merde,
je devrais déféquer
de la nourriture.

12

Ne donnez jamais
à un mendiant
qui vous demande
de la monnaie pour manger ;
il risquerait de s'étouffer.

13

Ma cousine, Sylvie,
a le même prénom
que ma sœur Carolle.

14

Si vous entrez complètement nu
dans une banque en criant :
« Je suis armé ! »,
les gens risquent de penser
que vous êtes chargé à blanc.

15

Mesdames, si jamais vous avez
une infection à la gorge,
appelez-moi :
j'ai du sperme antibiotique.

16

J'aime mieux avoir
un gilet pare-balles
qu'une balle par gilet.

17

Des excréments
de souverain pontife,
c'est rare comme
de la marde de pape.

18

Il est préférable
de toujours enlever la paille
avant de plonger
dans un verre d'eau.

19

La plus grande qualité
de la femme,
c'est de ne pas être un homme.

20

Un avocat somnambule
s'est récemment
poursuivi lui-même
pour abus de confiance.

21

Dans un an,
ça va faire deux mois
que j'ai arrêté de fumer.

22

Afin d'obtenir
la confiance des gens,
les visages à deux faces
doivent prendre
les bouchées doubles.

23

On n'est jamais mieux servi
que par sa main.

24

Comment voulez-vous
que les hommes comprennent
les règles de l'amour, puisque
ce ne sont que les femmes
qui les ont ?

25

La femme a été créée
à partir d'une côte d'Adam.
La naine, d'une côtelette.

26

Ne jetez jamais au feu
une bombe aérosol
sans y joindre un disque
de Stef Carse.

27

L'Américain moyen
porte du extra-large.

28

Le jour où je serai
six pieds sous terre,
le monde va me passer
six pieds par-dessus la tête.

29

On est toujours avant Noël,
sauf le jour de Noël.

30

Quand la police montée
fait une descente,
ça s'annule.

31

Pour qu'une soupe à l'alphabet
soit réussie, il ne faut pas
qu'elle goûte le « Q ».

32

Si vous vous faites tirer
douze balles dans le ventre
par un criminel
et restez dans le coma
pendant six mois,
n'essayez pas de jouer les héros.
Donnez-lui votre portefeuille
sans résister.

33

Dans les bars à gouines,
les filles baragouinent.

34

Ne courez jamais au milieu
de la rue Sainte-Catherine
en tenant une baguette
de billard à l'horizontale
devant votre œil droit.
Vous risqueriez de la casser.

35

Si votre perroquet meurt,
faites-lui chanter une messe
par une perruche.

36

Bienheureux les pauvres
car le royaume des cieux
est à eux...
Mais en attendant,
cherchez-vous une job !

37

Ne laissez
aucun jouet dangereux
entre les mains des enfants.
Mettez-les tous
entre les mains de Jean Chrétien.

38

Si vous croisez
un ours dans la forêt,
faites le mort.
S'il vous arrache un bras,
faites semblant
de saigner abondamment.

39

Manipulez toujours un revolver
avec beaucoup de précaution,
sinon vous pourriez vous rater.

40

N'acceptez jamais
de drogue de personne !
Sauf si vous êtes
aux soins intensifs.

41

Il faut éviter
de se moquer des infirmes,
à moins d'avoir
une christie de bonne blague.

42

Si on vous menace
avec un couteau,
défendez-vous
avec une livre de beurre
et deux tranches de pain.

43

Avant de frapper un imbécile,
assurez-vous
qu'il ne s'agit pas d'un miroir.

44

Tous les golfeurs
finissent par faire
un trou d'un coup…
au cimetière.

45

Quand t'as l'herpès,
il n'y a pas grand monde
qui veut becquer bobo.

46

Le comble de la pédophilie :
se masturber
en regardant des photos
de spermatozoïdes.

47

Un meurtre au troisième degré
prend beaucoup plus de temps
qu'un meurtre à 350 degrés.

48

Si jamais je reçois
l'Ordre du Canada,
j'espère que ce sera
l'ordre de nous séparer.

49

Les mesures de guerre
sont toujours en pieds.

50

Perdu tout près de la rue
Garnier : petit chaton blanc.
Signe particulier : il a une
fourchette dans l'œil droit.

51

Il ne faut pas vendre
la peau de l'ours
avant de l'avoir épilé.

52

Le dicton
Une de perdue,
dix de retrouvées
ne concerne heureusement
pas les verrues.

53

Il faut attendre
que bébé soit bien au sec
avant de lui donner
une deuxième couche.

54

La nature
m'a tellement choyé
que je suis obligé
de faire l'amour
par césarienne.

55

J'ai mis un serpent à sonnette
sur ma porte d'entrée
et mon livreur de pizzas
est mort.

56

Étant donné que les Jéhovah
n'ont pas droit
aux transfusions de sang,
vous ne verrez jamais
un vampire jéhovah.

57

Si tu manges pas ton chameau,
t'auras pas de désert.

58

Laval se prononce aussi bien
à l'endroit qu'à l'envers.
Mais c'est pas avec ça
qu'on va attirer les touristes.

59

Attention aux orignaux.
Ce sont peut-être les vôtres.

60

J'ai laissé sortir
la femme en moi.
Elle est partie
avec mon portefeuille.

61

Si tu croises un arbitre
avec un zèbre
et une soupe à l'alphabet,
ça donne un mot mystère.

62

Si jamais on donne le nom
de Pierre Elliott Trudeau
à une rue, ce sera sûrement
un cul-de-sac.

63

Si vous avez le pied pesant,
portez des chaussures
gonflées à l'hélium.

64

Sur nos
plaques d'immatriculation,
on peut lire : *Je me souviens*
alors que personne
ne se rappelle
son numéro de plaque.

65

Les Oraliens
n'étaient pas nécessairement
des adeptes de l'amour oral.

66

Si un jour
je perds un bras,
j'en profiterai pour faire
un *one* manchot.

67

Dieu était tellement en colère
d'apprendre que son fils
était athée qu'il l'a fait crucifier.

68

Le comble de la paranoïa,
c'est de regarder Canal Vie
et de lire au bas de l'écran :
Nous parlons de vous.

69

Tout ce que j'ai fait
avant minuit, je m'en rappelle
comme si c'était hier.

70

Dans un sérieux face à face,
ma blonde et moi
nous sommes retrouvés
nez à nez
pour finir en tête à queue.

71

En voiture,
les idiots ont tendance
à heurter les garde-fous.

72

Je lui ai dit, aujourd'hui,
que c'était hier
qu'elle aurait dû prendre
sa pilule du lendemain.

73

Une Barbie qui se drogue,
c'est une barbiturique.

74

Que celui qui n'a jamais péché
me lance la première pierre.
Et si l'un d'entre vous
me vise un œil,
il gagne un toutou.

75

Pour éviter
l'angoisse de la page blanche,
j'écris sur du papier jaune.

76

Tant qu'il nous reste
les forêts amazoniennes,
nous ne sommes heureusement
pas sortis du bois.

77

Aux élections,
voter pour un nul
n'annule pas nécessairement
votre vote.

78

Si tu échappes une fourchette par terre, ça veut dire que tu vas avoir de la visite. Si tu échappes une grenade par terre, ça veut dire que tu vas avoir des morceaux de visite.

79

Hier,
j'ai eu ma première
expérience homosexuelle.
J'ai baisé avec une lesbienne.

80

Je ne suis
tellement pas superstitieux
que je n'hésite jamais
à passer sous un chat noir,
même avec
une échelle sur l'épaule.

81

C'est en voyant Aline
embrasser Chrétien
qu'on se rend compte
que l'amour est aveugle.

82

Sur cette terre, un pet ne
vous mènera nulle part.
En apesanteur, il vous
propulsera à l'infini.

83

Je ne ferai jamais
de cinéma porno
parce que j'ai peur
de percer l'écran.

84

Il est possible
qu'un jour, au Québec,
les choses se corsent,
mais il y a peu de chances
qu'en Corse, les choses
se québécisent.

85

Ma voisine se parle toute seule.
Sauf quand elle se boude.

86

L'interprète qui traduit,
à l'Assemblée nationale,
pour les malentendants
n'aurait qu'à se mettre
un doigt dans le nez
et on aurait enfin
une traduction parfaite.

87

Je ne me trompe jamais.
Je laisse à ma femme
le soin de le faire.

88

Quand tu te fais prendre
à voler à la pharmacie,
tu trouves de tout,
sauf un ami.

89

Ma femme dit que je ronfle
alors que je ne fais que
me gargariser avec de l'air.

90

Les rhinocéros
s'embrassent tellement souvent
qu'ils ont de la corne
dans la face.

91

Si, en langue indienne,
Québec veut dire :
Là où le fleuve rétrécit,
Ottawa veut sûrement dire :
Là où le cerveau rétrécit.

92

Au pays des aveugles,
les borgnes sont rois.
Au pays des borgnes,
les voyants sont rois.
Au pays des voyants,
les trous de cul sont rois.

93

Je n'ai jamais vu
un poisson pourri
se faire engueuler.

94

J'ai essayé
toutes les positions
du Kamasutra,
et je peux vous dire
que, tout seul,
c'est très ordinaire.

95

C'est à Yamachiche
qu'on trouve
le meilleur Yam.

96

Je laisse toujours
un excellent pourboire.
De cette façon,
on ne remarque pas
que je pars sans payer.

97

Sur mon pénis,
j'ai fait tatouer
ISO-9002.

98

Le cinéma,
c'est discriminatoire.
On a fait plein
de films muets
et on n'a jamais fait
de films aveugles.

99

La pratique de la médecine
m'inquiète beaucoup parce que
ce n'est que de la pratique.

100

Après ma mort,
j'aimerais bien me réincarner
en paroi intérieure
de soutien-gorge.

101

Après avoir baisé avec un roux,
une fille doit se faire piquer
contre le tétanos.

102

Perdu : petit tableau noir
sur lequel on peut lire :
Perdu : petit tableau noir
sur lequel on peut lire.

103

Ne vous en faites pas,
moi non plus
je ne connais pas la
Prière d'enlever vos chaussures.

104

Les Québécois
n'ont pas d'accent.
Ce sont les tympans
des Français
qui sont désaccordés.

105

J'ai acheté un collier à puces,
mais ma puce
ne veut pas le porter.

106

Saoul comme un Polonais,
bandé comme un Turc,
cravate espagnole,
pelote basque…
ça donne le goût
de voir du pays.

107

Quand Popeye
caresse sa blonde,
ça lui donne
de l'huile d'Olive.

108

Si jamais vous me voyez
foncer la tête la première
dans un mouchoir rouge
en criant : « Olé ! »,
c'est parce que
j'ai une grippe espagnole.

109

Après sept orgasmes,
habituellement,
une femme s'écrie :
« Merci, Duracel ! »

110

Ne placez jamais
un appareil électrique
sur le bord de votre baignoire,
sauf si je suis
sur votre testament.

111

Le meilleur moyen
de se débarrasser
d'un chat dans la gorge,
c'est d'avaler un chien.

112

Pour connaître
l'âge d'un homme,
il suffit de lui scier le tronc
et de compter les sillons.

113

Si je m'achetais
une grosse Corvette,
il y aurait enfin
une exception à la règle.

114

Docteur,
j'ai essayé par la bouche,
par les oreilles,
j'ai essayé par le nez,
par les yeux, j'ai même essayé
par le pénis et par l'anus,
rien à faire ; je suis incapable
de sortir de moi-même.

115

Je préfère
donner de l'argent à Oxfam
plutôt qu'à mon ex-femme.

116

À Paris,
j'ai voulu faire branché.
Le jour, j'ai fait le Louvre,
le soir, je suis allé en boîte.
Je peux donc dire que j'ai fait
Louvre-boîte.

117

L'autofellation,
c'est la fellation par soi-même ;
et Loto-fellation,
c'est la même chose,
plus un gratteux.

118

Tu sais qu'un enfant
a des problèmes
quand il se fait
une ligne de coke
avec la carte
Picachou de Pokémon.

119

Grâce à mon dentier aimanté,
je me tape toutes les filles
qui ont des broches.

120

Au rythme
où ils appliquent
la peine de mort,
les États-Unis
vont bientôt devenir
les Euthanasies d'Amérique.

121

Si je baise avec un homme,
mais à petites doses seulement,
c'est de l'homéosexualité.

122

Le jour où je sentirai
que je me répète,
je me mettrai à vendre
des pancartes *À vendre*.

123

Quand il sera vieux,
Caillou aura sûrement
des pierres aux reins.

124

Rien de tel
qu'un suppositoire de Tabasco
pour se donner
un peu de vigueur.

125

Jean Chrétien est la
seule personne à pouvoir
se murmurer quelque chose
à l'oreille.

126

La formule 1
est la seule discipline
où un athlète
ne peut se dépasser.

127

L'art de se secouer
après avoir été aux toilettes
se nomme *le scoutisme*.

128

Chaque fois
que quelqu'un
meurt en Mongolie,
c'est une petite partie de moi
qui s'éteint.

129

Si tu fais fumer
un homme-grenouille,
c'est très long
avant qu'il explose.

130

Non seulement
les Montréalais
roulent leurs « r »,
mais, en plus,
ils les fument.

131

Quand on marche,
on a l'impression d'avancer
alors que, dans le fond,
c'est la Terre qui tourne.

132

Quand tu vas
dans un bordel,
tu fais l'amour,
et quand tu vas
chez Morgentaler,
tu défais l'amour.

133

Si quelqu'un
tombe à l'eau
tout habillé,
lancez-lui
des tapis sauve-pantalons.

134

Jean Chrétien
n'a qu'une parole,
et il n'est même pas capable
de la prononcer
comme du monde.

135

Si tu veux être sûr que ta femme
revienne toujours à la maison,
épouse un boomerang.

136

Le hasard a voulu
que je fasse toujours
du parachutisme
en même temps
que je tombais d'un avion.

137

Si un jour
je change de sexe,
je vous donnerai mon vieux.

138

Lors d'une sodomie,
la longueur du pénis
se mesure en décibels.

139

Si les murs ont des oreilles,
normal qu'il y ait de la cire
sur les planchers.

140

Quand tu reçois
un coup de poing sur la gueule
par un pauvre,
tu te retrouves avec
un œil à la margarine noire.

141

Le seul problème
quand le soleil se couche,
c'est qu'il brûle ses draps.

142

À dix-huit ans,
tu peux entrer dans les bars,
mais on ne dit pas
à quel âge tu peux en sortir.

143

Un homme tronc en complet
demeure incomplet.

144

Une prostituée
qui cherchait une méthode
pour arrêter la pipe
a finalement opté pour
les patches de sperme.

145

Je suis tellement riche
que mon N.I.P.
a quarante-deux chiffres.

146

Les unijambistes
ont l'avantage
de ne jamais se lever
du mauvais pied.

147

Quand Ovide Mercredi
prend une brosse le jeudi,
il est déjà lendemain de veille.

148

Une fille qui couche
avec un chanteur risque
de tomber enceinte acoustique.

149

Les Beatles sont plus faciles
à compter avec une pelle.

150

Le type qui a le record
de saut en longueur
ira sûrement loin dans la vie.

151

Si tu as mauvaise haleine,
c'est parce que tout ce que tu dis
est pourri.

152

Je me suis cogné la tête
contre une calèche
et je suis tombé
dans les pommes de route.

153

Il ne faut jamais
maltraiter les animaux,
sauf quand on les fait cuire.

154

J'ai tellement peu de respect
pour mes pieds
que je leur marche dessus
toute la journée.

155

Afin de vous assurer
de faire de beaux enfants,
utilisez toujours du sperme
première pression à froid.

156

Je peux me compter chanceux.
Depuis que je fume en cachette,
je ne me suis pas trouvé
une seule fois.

157

Le fait d'avoir
plein de trous dans la peau
ne forme pas nécessairement
un troupeau.

158

Qui dit :
« T'es beau comme un cœur ! »
n'a jamais assisté
à une opération à cœur ouvert.

159

Je donnerais cher
pour être millionnaire.

160

J'aime mieux
siroter une bière
que roter six bières.

161

Quand on me demande quelle
est mon orientation sexuelle,
je réponds : « Nord-Sud. »

162

Dans mon biscuit chinois,
on prédisait :
Vous allez bientôt digérer
un biscuit chinois.

163

Il y a trois personnes en Dieu.
Il doit faire chaud là-dedans.

164

Je suis tellement faible
que ça me prend
tout mon petit change
pour remplir le parcomètre.

165

Je souhaite
à tous les hermaphrodites
d'être ambidextres.

166

Autrefois,
les prêtres faisaient
des signes de croix.
Aujourd'hui, ils font
des signes de piastres.

167

Un jour, grâce à
la manipulation génétique,
les poules auront
la chair d'homme.

168

Il faut vivre
chaque seconde
comme si c'était
la dernière minute.

169

« Chérie ! s'écria le manchot,
viens dans mon bras ! »

170

Même dans mes plus grandes
colères, jamais je n'ai osé
traiter un de mes frères
d'enfant de chienne.

171

Quand un cheval et une jument
forniquent dans un sauna,
ça donne des chevaux-vapeur.

172

L'avantage
quand on a treize ans,
c'est qu'on est à l'abri
des pédophiles superstitieux.

173

Il y a parfois
de belles choses
qui sortent de ma tête.
Sauf quand je me mouche.

174

Aujourd'hui,
c'est toujours
le lendemain de la veille.
On avance très peu, finalement.

175

Services personnalisés :
Femme masse turban
d'Hindou stressé.

176

Hier, j'ai baisé avec ma femme
et j'ai eu mal au bas du dos.
Aujourd'hui,
j'ai baisé avec ma maîtresse
et j'ai eu mal aux épaules.
Y a pas à dire,
tromper sa femme,
ça change le mal de place.

177

Tout ce que je souhaite
aux décrocheurs,
c'est de décrocher un emploi.

178

Chaque minute, sur terre,
un milliard de relations
sexuelles en moyenne ont lieu.
Si on inclut les prêtres,
ça double.

179

Les bons vivants
font souvent
de très mauvais morts.

180

À la fin de sa vie,
la reine mère
avait plus de couronnes
dans la bouche que sur la tête.

181

Le 11 septembre 2001,
mon cousin Raymond
a fêté son 42e anniversaire
de naissance.

182

Si vous êtes
un homme d'affaires honnête,
vous irez au paradis.
Si vous êtes
un homme d'affaires malhonnête,
vous irez au paradis fiscal.

183

J'ai mis un condom
au bout de mon hameçon,
et j'ai pêché une sirène.

184

Deux ans après
que des tortionnaires
ont arraché la langue
de mon meilleur ami,
il refuse toujours d'en parler.

185

Méfiez-vous des filles
qui portent des boucles de métal
aux lèvres. On peut s'y coller
la langue par grand froid.

186

On appelle un homme
qui est marié
avec une seule femme
un monogame.
Avec deux femmes,
un bigame.
Avec plusieurs femmes,
un chanceux.

187

À donner : trente millions de spermatozoïdes au 514-555-1732.

188

Si je veux me rendre
jusqu'à cent ans,
je suis aussi bien
de partir tout de suite.

189

Si jamais vous voyez
un rat qui vibre,
c'est parce que j'ai échappé
ma pagette dans les toilettes.

190

Pour arracher
une dent de lait,
rien de mieux
que la bonne vieille méthode
de la ficelle attachée à une porte.
Sauf si c'est
une porte d'ascenceur.

191

En avril,
ne te découvre pas d'un fil
et, en décembre,
ne te sors surtout pas le membre.

192

Quand un chien
lève la patte avant,
il vous salue.
Quand il lève la patte arrière,
il vous salit.

193

T'as beau avoir
une belle tasse Texaco,
le gaz goûte pas meilleur.

194

T'as beau avoir
le record du monde
en saut en hauteur,
tu ne pourras jamais
sauter le mur du son.

195

Pour devenir
champion de billard,
il faut avoir
les yeux *cross-side*.

196

N'achetez jamais
de cigarettes ou d'alcool
de contrebande.
Vendez-en plutôt,
c'est bien plus payant.

197

T'as beau attacher un chat
solidement après une loupe,
ça ne donnera jamais
une chaloupe.

198

Heureux
d'aller féconder l'ovule,
les spermatozoïdes
partent rien que sur une gosse.

199

J'ai un ami
qui est tellement vieux
qu'il a un générique
qui lui roule dans la face.

200

Étant donné
que ma mère a accouché
sur le pont Jacques-Cartier,
je peux me vanter d'avoir été
le premier bébé à faire du bunjee
avec son cordon ombilical.

201

Aimez-vous les uns les autres,
et laissez-nous filmer.

202

J'aime bien
me faire reconnaître dans la rue.
Particulièrement quand je suis
complètement saoul
et que je suis en train de vomir
dans un pousse-pousse
par mégarde.

203

Laissez venir à moi
les petits enfants
et je finirai bien par savoir
c'est qui le petit christ
qui a grafigné mon char.

204

Si quelqu'un te frappe,
présente-lui l'autre joue.
S'il te frappe de nouveau,
présente-lui ton beau-frère
qui est dans les Hells.

205

Avis aux prêtres :
Le chemin de croix
n'est pas la route
qui mène à une garderie
ou à une école primaire.

206

J'avais faim,
vous m'avez donné à manger.
J'avais soif,
vous m'avez donné à boire.
Aujourd'hui,
je suis obèse et alcoolique.

207

Si un jour je deviens légume,
faites-moi revenir dans l'huile.

208

Je crois que les punks
ont mal saisi
le sens de l'expression :
Il faut essayer de percer
dans la vie.

209

Afin de savoir
si Charlie Chaplin était mort,
j'ai dû lui tirer les vers du nez.

210

Si je continue
à insulter Jean Chrétien,
la SPCA va finir
par me poursuivre.

211

Trois-Rivières
est une charmante petite ville
située entre Québec
et Ginette Reno.

212

Si jadis
les Indiens avaient l'habitude
de scalper les Blancs,
c'est qu'ils ne voulaient pas
de cheveux dans leur soupe.

213

J'ai un projet
pour l'année prochaine :
je vais changer de calendrier.

214

Baignade, vélo, plage, tennis,
moto, jolies filles, bars…
Voilà des choses auxquelles
on pense sûrement beaucoup
en prison.

215

Ne parlez jamais
la bouche pleine,
sauf si vous jouez
dans un film porno.

216

Si jamais vous voulez
m'envoyer un fax,
le modèle 85XB à 800 $
de Panasonic est un fax qui
me conviendrait parfaitement.

217

Depuis que mon cousin Roger
a une boucle dans le nez,
on l'appelle le Roger Percé.

218

Un hétérosexuel,
c'est comme un antisudorifique,
c'est assez fort pour lui
mais conçu pour elle.

219

Au début, pour moi,
l'école, c'était primaire,
mais c'est vite devenu
secondaire.

220

Quand tu manques
de Sani-Flush,
t'as juste à accrocher
un Schtroumpf
dans ton réservoir de toilette.